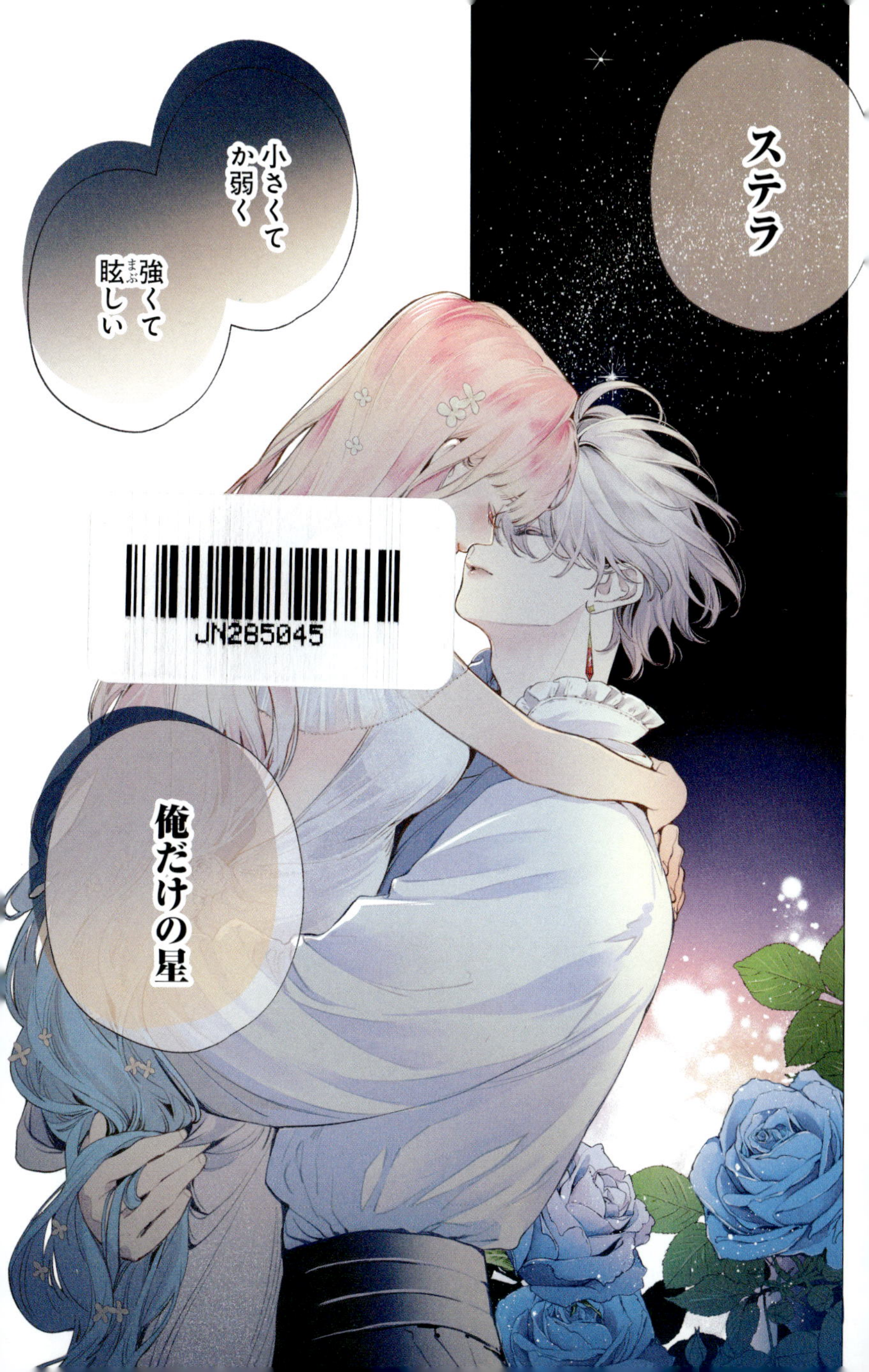
ステラ
小さくてか弱く
強くて眩《まぶ》しい
俺だけの星
JN285045

はい　ラビ様

私は何百年かかろうとも
何度だって
あなたのもとへ落ちていきます

Contents

Ton étoile
filante cachante
les fleurs

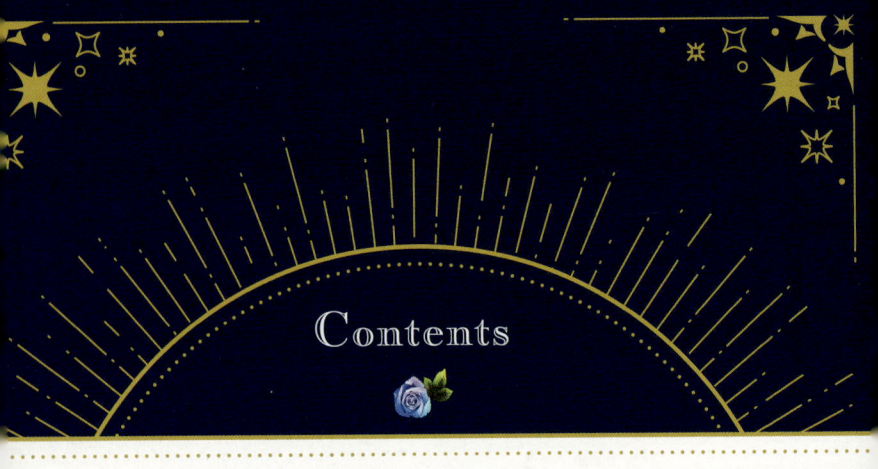

私は
あの夜――
呪われた怪物の
花嫁になった
そして
私はまだ
知らない
Episode.1
星と茨の王子様

世界は残酷さと優しさが織り交《ま》ざってできていることを
そして
お伽話《とぎばなし》のように愛する者のキスや真実の愛だけでは
かけられた魔法は解《と》けないということを

だけど
どうか
諦めないで
私とあなたなら
叶《かな》えられる
二人一緒に
太陽の下で
笑い合う夢を

Ton étoile
filante cachante
les fleurs

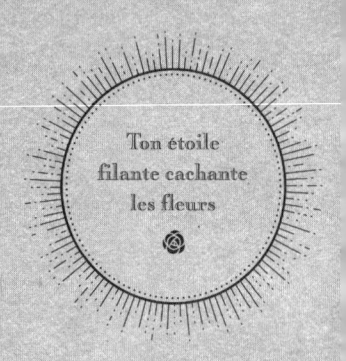

ニャーッ
ニャーッ
お嬢様ッ
下りてきてくださいい〜っ
よしよし
ステラお嬢様〜〜!!

おっお姉様!?
何故あんなところに!?!
木から下りられなくなった猫を助けに……!
あらら〜リリネット
ミャーッ
二人とも怒らないで待ってて〜……
パキッ
つるーん
お嬢様ぁ〜〜〜っ
お姉様〜〜〜ッ
ステラ・クインウィッチ(17)
クインウィッチ子爵家長女

大丈夫よーっ
ばあや!!
今日こそはお母様にお伝えしましょ!
あ〜っ
くすっ
母様にはないしょよ! ないしょ〜
ステラさまーっ
たっ
ステラ様っ
今度は木登り〜?
!!
そうよ〜この子運動音痴だから早く下ろしてあげないとね〜
ねっ
なぁ〜
あっ
みんなはマネしないで大人を呼んでね?
お願いねー?
はーい
ねえねえ
ステラ様って怖いものなしだから〜
この光の王国一番の勇者様だと思う!
キャッ
キャッ
だねーっ
光の王国と呼ばれる私たちの国——

豊かな水源と実り多き国土
疫病が流行《はや》ることも
紛争などに怯《おび》えることもない
我らが誇る安寧の地
VALENTIN
ヴァレンティン王国
…といってもうちは辺鄙《へんぴ》な地方の領地だから
王都ほどの豊かさや煌《きら》びやかさはない
だけど領民のみんなと手を取り合って暮らしている
これね ママがこの前のお礼って!!
アップルパン焼いたのーっ
えっ 嬉しい!! 大好きよーっ
ありがとーっ
りんごが名産♪
apple

お姉様ってば
いつもなんでそう向こう見ずなのかしら
ちゃぷっ
そう？
さっきみたいに木に登ったり！
川に入ったり屋根に登ったり猪突猛進《ちょとつもうしん》すぎるわよ！
今は人目をはばからず寝ころんでるっ
だって困ってたから～
あはーっ
でも！
しっかり考えて行動してほしいわ
んーっ
魔法が使えたら困らないのに～とは考えてる
!?
何を夢物語のようなことを！
そういう話じゃないわよっ

…たしかに夢物語よね
ぱしゃっ
でもね…現実は何もしなければ何も起こらないでしょう?
だから私はできることを目一杯するし
諦めないの
そうすれば運命があるべき場所へと導いてくれるわ
むーっ
…レディーらしく
思慮深さと…
凛《りん》とした気品も……
きゅるるるる〜
……誰のかわいいお腹《なか》の音?
〜〜っ ちっ 違うのっ
だって私レディーだものっ
!!
ガバッ
さっきもらったアップルパンここでいただいちゃいましょうか!
Apple Bread

ええっ だめよッ
昼食前に!! こんな地べたに座り込んで!
はしたないわ〜っっ
リリネットはホント真面目《まじめ》さんね〜
ガサ ガサ
ひとつは大きすぎるから わけっこしましょう
はいっ
ううっ
い… いただきます…
私とリリネットに 血のつながりはない

私が物心つく前に
じつの両親は事故で亡くなった
そんな私を引き取ってくれたのが
父の親友で同じ爵位を持つクインウィッチ子爵だったのだ
たまにかわいそうにって言われるけど
自分ではそうは思わない
だってありふれた日常を

大切な人たちと笑って過ごせる
そんな私は十分に幸せ者で
とても恵まれていると思うから
ゴロ
ゴロ…
えっ
もう帰ってきてらっしゃるの!?
ええ何か大切なお話があると…
ステラ
リリネット
あっ

父様！
おかえりなさいっ
ただいま
久しぶりの王都はいかがで――……
……父様…？
ザァァァァ
ん…
はぁ
はっ
んん…っ

あぁ…っ
はっ
はっ
〜ぁ…っ
いッ…
ああああ
ガダッ
ぐっ
あ゛うっ
ポタタッ
ズ
ズルズル
ズ…
ダラン…

ズザザ
フラッ
ドンッ
ぶらっ
はっ
はぁ
ザァ
〜〜くそ…っ
ァァァ

怪物の花嫁
——それって……
あの…
迷信の…?
〝怪物の花嫁〟
——そうだ…
光の王国
ヴァレンティシ王国で
囁《ささや》かれる唯一の闇

何百年も前から国のどこかに幽閉されているという
〝呪われた怪物〟
人ならざる
不死の醜《みにく》き魔の生き物
その怪物の心身を鎮めるため
百年に一度生娘《きむすめ》数人を生贄《いけにえ》に捧《ささ》げる
——そう誰もが迷信だと信じていた
……ッ
選ばれてしまった

年頃の娘二人のうち
なるべく若いほう――
リリネットを生贄にと……
嘘《うそ》…っ
うそ…っ
あなたどうして……っ！
生贄？
異議申し立ては握り潰された
怪物の存在を隠蔽するなら生贄は下級貴族《われわれ》がもっとも好都合だ
拒否すれば一族と領民に未来はない…！

当たり前の日常が壊れていく
もうここには戻ってこられない……
どうなるの？
リリネットがいなくなっちゃう
怖がりな子だもの……絶対怯《おび》えるわ
誰がこの子の震える手を握ってあげるの？
独りで……
ぐっ
そんなの嫌……絶対にだめ……
……

すまない…
それなら…
ゴロゴロ
ロロ…
リリネット…
お母さまぁ
私っ
どうなるの？
ゴロゴロ
ゴロ
それなら――

私に行かせてください
カッ

ステラ…!? お前何を言ってる…!
あなた…その意味がわかっているの？
生贄なのよ!?
お姉様…ッ
もちろん理解してるわ
この国は女性でも家督を継げるけどそれは正統な血筋でないと
クインウィッチ家が貴族社会で生き残るためにもリリネットが必要よ
あと私より頭も器量も良いし
私だって若い生娘だし歳も2つしか変わらないからいけるわよ
ステラッ
お前だってこの家に必要な娘だ!!
ありがとう
——でも

貴族である私たちは
国と民のために万一の時には責任や義務を負わなければならない
って父様がよく言ってたわよね
ーーッ
嫌よっ
ばっ
こんなの自己犠牲じゃない!
あなたが行くより私が行くのが最善なのよ
それにこれは自己犠牲なんかじゃないわ
だって生贄だからって
必ず死ぬとは限らないでしょう?
お姉様っ そんな保
大丈夫

両親を亡くして捨てられそうになった私だけど
こんな恵まれた家に引き取ってもらえたの
私ってば運がいいでしょ？
この運と諦めの悪さがあればきっと大丈夫
ねっ？
ぎゅっ

王都に連絡したあと
花嫁の交代はすぐ受諾された
貴族の娘なら誰でもいいのなら より残酷ね
…でも これでよかった
…大丈夫よ ステラ
大丈夫
大丈夫だと そう信じて――――
ザァァァ

わ…王城の裏にこんなお屋敷が…
ザッ
ステラ・クインウィッチ様
!!
ご案内いたします
どうぞこちらに

——では
こちらで待機を
ギィ
数日はここで暮らしていただきますが
生活に必要なものは揃《そろ》っております
ただ外に出ることはできません
お呼びがかかれば案内されます
……
…ラビ様のもとへ…

ラビ様…？
では
えっ
行っちゃった!!
ザッ
…あの子も若いなぁ…
生きたまま喰《く》われて骨も残らないらしいぞ
かわいそーっ
オレらじゃなくて良かったわ
あなた
!?
ぼさっとしてないで早く入って
意味がないから挨拶はけっこうよ
騒がずに静かにしてて
あ…
生娘数人を生贄に——…

はい…っ
えと…
あの…2点質問を…
先ほどのラビ様って…
呼んだらだめ!!
アイツが来たらどうするの!?
あ…もしかして〝呪われた怪物〟の……?
…ご ごめんなさい
あの…これで全員…ですか?
いっいえ…ほかにもいましたが…
先に二人行ってしまって
どちらも…もっ戻ってきません…っ!!

…それにしても
その古いドレスは何？
白一色で来るなんて
花嫁の意味を勘違いしてるのではなくて？
…これは…
何も持ち込んではいけないんですって
でもせめて
これを身に着けて
父様との結婚式の時に
着た想《おも》いのこもった
大切なドレス
母は
いつでも
あなたのそばに
…母様のお守り…です

キッ
くだらない!! そんなの無駄よ!!
ううううっ
何が光の王国よッ みんな無残に死んでしまうんだから!!
やめてッ
もう無理よ…どうにもできないの
お母さまぁあぁぁっ

夜だ…
いつもと変わりなく
時間は淡々と流れていく
素知らぬ顔で
あ…
私たちの心を置き去りにして
あれですね 何もすることないですね
カチャ
お茶… すっかり冷めてしまいました…
それが

ふっ
それがより一層
現実を突きつける
コト…
カチャ
カチャ
カチャ
霧の中にいるみたい
…あの子も若いなぁ…
かわいそーっ
どちらも…もっ戻ってきません…っ!!
骨も残らないらしいぞ
そんなの無駄よ!!
もう無理よ…
何かがまとわりついて息がしにくいわ
お母さまぁあぁっ

何もしなければ何も起こらない
そう現実だから
時にはどうにもならないこともあるの
だって夢物語じゃないもの
わかってる…
——だけど

諦めちゃだめ
私は死ぬつもりできたんじゃない――

え
サファイア色の蝶々《ちょうちょ》…
び…びっくりした
なんでこんなところに?
ふわっ

ひら
ひら
スー…
………
コツ…
コツ…
コツ

コツ…
!!
コツ
すごい…
コツ
すべて蒼《あお》い薔薇《ばら》の…
不思議な趣味…
いえ…不思議なのは私ね…蝶々を追うだなんて…
うう……

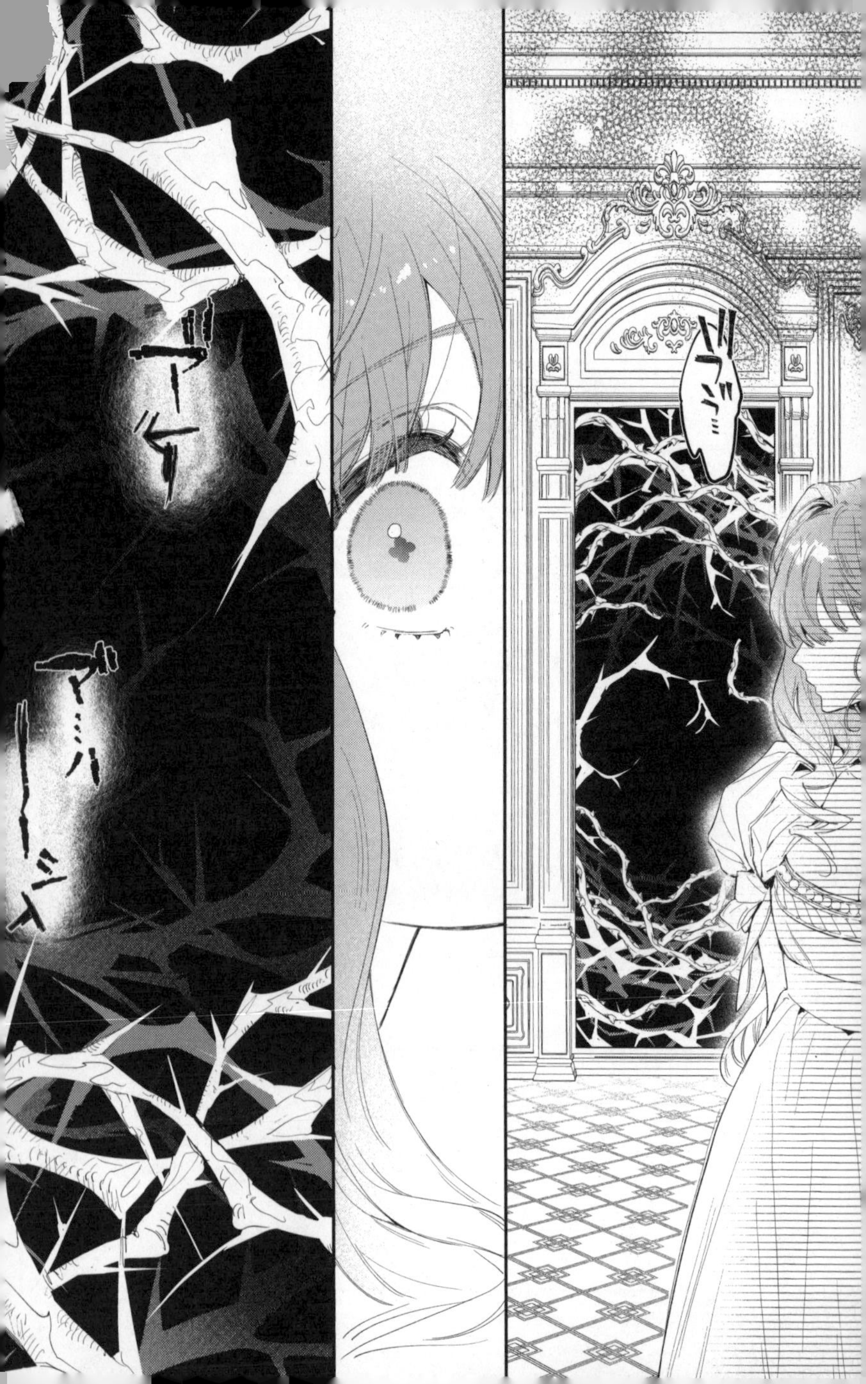
ゾワゾワ…

……え
何…?
ゴコハ
クルシイ
ヒトリデ
〜ッ
苦しいの?
どっ どなた…?
だ… 大丈夫ですか…?
もう 何がなんだか わからないよ
だけど
ヒトリハ ヤダ
まっ
待って今——!

――あの夜
運命に導かれて
私たちは
巡り会った

〝呪われた怪物〟
そう呼ばれていた彼は――
幻想で見るような
美しさと
え…っ
恐ろしさをまとった
あんた

誰？
血塗られた王子様だったのです

Ton étoile
filante cachante
les fleurs

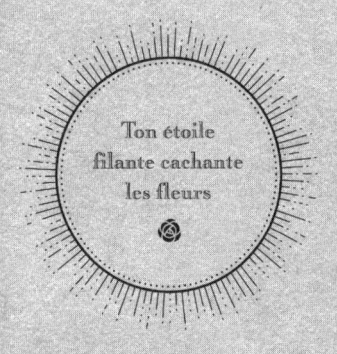

Ton étoile
filante cachante
les fleurs

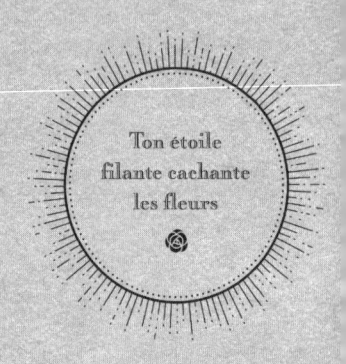

Episode.2
呪いの口づけ
あんた
――誰？

あ…っ
し…失礼しました……私 クインウィッチ子爵家の
どなた…かしら？
それに
ステ…
興味ない
え…
あの赤黒いのは……
そういう意味で聞いたんじゃない

おい!
びくっ
お前!
いったい何をしてる!!
!?
あっ
…あの子も若いなぁ…
生きたまま喰われて骨も残らないらしいぞ
花嫁《いけにえ》がどうしてこんな所にいるんだ!?
ここは3階だぞ!?
さっきの衛兵の……!?
え…
はっ
そうよ私…

ダッ
どうしてこんな場所に!?
さっきまで1階の部屋にいたのに…!!
逃げるな!
グイッ
ひゃっ
逃亡はお前も家族も罰を受けるぞ!
ち…っ違います!
オイッ ちょっ
逃亡ではなく確認したかっただけです…ッ
とにかく放して
オイ おまッ あばれるな
イヤです
あ?なんだ
チッ
ぐっ
間違いねえ…
は…白銀の髪
琥珀《こはく》と紅玉《こうぎょく》のオッドアイ…
アイツ

ラ…ッ
ラビ・ヴァン＝ヴァレンティンだ…!!

!?
……は!?
監禁されてるはずじゃないのか……!?
あの人が……?
はっ
ほ…骨まで人を喰うとか聞いてたけど
案外弱そうだな
おい もう行こう
その子の確保が優先だろ…っ
逃亡ではありませんっ
家族のためにもそんなことは…っ
オイ 動くなっ!
あっ
あのっ

もしかしてっ
あなたですか!? 私をここに呼んだのは!
誘われるように蝶々を追ってたら
誰かが苦しんでて そしたらあなたが
はぁ…
知らない
あんたが勝手に来たんだろ
おい お前!
逃げたいのはわかるがアレにすがるのはやめておけよ
いたっ
アイツが"呪われた怪物"だって知ってんだろ!?

一人で何百年生きてるか知らねーがなぁ！
人喰っちまう卑劣なバケモンだぞ!?
ヒトの優しさも
心も愛も持ち合わせてねーんだよ!!
ふっ

五月蝿《うるさ》いな

!?
ドッ
ぐしゃっ
……はぁ
うああああッ!
ザっ
何が
起こったの?
あっ

スッ
あ…
それにしても
やはり男の声は汚く耳障《みみざわ》りだな
!!
…あ…
やっ
やめて…!
がはっ
…っ苦しそう…っ やめてあげてください…っ
なんて冷たい空気
そっ
そんなことないです…っ
はっ
…こんな卑小《ひしょう》な命ひとつ散ってもなんの支障もない
怖い
…こ この方を待ってる人が
家族がいたら…

はっ
家族ね…
こいつに自分を重ねてるから救済を乞《こ》う…
本当は自分が救われたいだけだろ?
あんた憐《あわ》れだな
…ああ
人間はみんなそうか…
生贄と理解しながら娘を差し出す親
それでも親の愛を乞うあんたたち
すぐ人間は心や愛などと口にするが
あってないようなものだろ

グッ
じつに綺麗な絵空《えそら》ごと
あ゛あっ
ごめんなさい
ステラ
ごめんなさい
あなたを愛しているわ
どうか私たちを許さないで
反吐《へど》が出る

あなた…！
意地悪な方ね……っ！

はっ
やってしまったアアアッッ
サー……
ア…アラァ…勝手ニ手ガ…
!

スッ…
よ
よかった
大丈夫で…ッ
はっ
ガッ!!
あああぁッ
〜〜ッ
いてて…

え？
い…っ！
いきなり何を
くそッッ
くそ…ッ
!?
いったいどうしたんですか…っ!?
すごく苦しそう
それに琥珀色だった左目が…!?

はあ…っ
暗闇の中に
光る紅玉の瞳
ス…
パサ…
それは
まるで…
すっ
すみません
叩《たた》いたの
痛かった
ですよね…っ
あ…
すごく…っ
苦しそうです
けど

ポタッ
ぴちゃ
まるで血の――

!?
ぢゅっ
ちゅるっ
んっ
あっ
にゅるっ
んっ
ふっ
あっ
じゅ
ぱっ
くちゅっ
ぴちゃっ
ぬっ
ぢゅるっ
ふっ

何？
何が起こってるの？
んっ
んんっ
ぐっ
だめ…っ
ど…どうしよう
れろっ
このままじゃ
あっ
ちゅくっ

バンッ
いやッツ
はぁ
ふる ふる
ドッ
ドッ
ドッ
はっ
嫌です
いや…
はぁ
ズクンッ
ズクンッ
ギリ…
やめてくださ
無駄だよ
ス…
誰もこの運命からは逃《のが》れられない

だから
あんたもすべて
諦めろ

怪物の花嫁はどうかね
ヴァレンティン王国
元老院
アレに喰われると魂を抜かれ枯れ果てるとか
恐ろしや
先の二人の花嫁は老婆のごとき姿で生きる屍《しかばね》のようでしたな
放っておけ放っておけ
生贄は死ぬ運命にあり
娘たちには国の礎《いしずえ》になってもらわねばならぬ

タンッ
まったく忌々《いまいま》しい!!
この国唯一の汚点
穢《けが》れた
醜い

吸血鬼め!!

生贄は死ぬ運命にあり
Episode.3
逆さまの乙女
娘たちには国の礎になってもらわねばならぬ
……あれ…

ガバッ
わたし…
はっ
どうしたんだっけ
はぁ
はっ
はぁッ
はッ
あたまがぼーっとして
いしきがだんだん
とおく…

ガリッ
ギリッ
〜〜〜ッ
ゴッ
ビキ
ビキッ
ガッ
ガッ
うう…ッ
…くそ
ピク…
……あ…

ひゃああああああああッ!!
なッ!?
なっなな
なああ!?
がばッ
びくっ

じーっ
いきなりレディーを押し倒すなんて破廉恥《はれんち》では!?
おかげで数分頭が働きませんでしたッッ
ばっ
ドッドッ
ドッドッ
何をッ……
あんなあんな……!
な…
舐《な》めたり
噛《か》んだり
いろいろ……ッ!
よくわからないけど首元から一気に熱くなって……
その熱さが全身に…
まだくらくらする……
ハッ
もじゃっっ
いっ今のって私を食べようとしたんですか!?
だから首をがっつと!?
は……

あんた
なぜ
血を吸われても
なんともない？
びくっ
なぜ平然と
している
なぜ普通に
しゃべることが
できる?
え…っ
そんなこと
不可能な
はずだ

血を吸う？
えと……
元気と健康が取り柄《え》ですので……？
…？
……
…なぜだ 奇跡なんて存在しないはず…
あれ…？

やっぱり…

暗闇に浮かぶ紅玉の瞳だった左目が
朝に降り注ぐ光のような琥珀色に
今は怖くない……

やめろっ
見るな…ッ 見るな!!
え
あっ ごめんなさ
俺を見るな…!
ぱっ
何をしている

ばっ
ザッ
ザザッ
ザッ
いた……！
あの子なんでこんな所に……
タッ
……あの隣にいるのは……誰？
ザッ

ラビ・ヴァン＝ヴァレンティン様
なぜここに？
王宮第二騎士か
めんどくさい…
王宮第二…
王太子様の近衛《このえ》騎士団…!?
あなたは今
血に飢えた獣
勝手に出歩かれては困ります
アッ
アレが怪物!?
なら
いっそのこと
始末して…
ス…
オスカー・ジャルジャック
王宮第二騎士団団長

ラビ様が手を下せば
あなたたちなど
一瞬だ
万物の頂点とも
いわれる
闇の世界の王
火で炙《あぶ》っても
水に沈めても
その心臓を
突き刺しても
死ぬことはなく
この世で唯一
永遠の命を
手にする
不死——
ラビ様は

吸血鬼だ
――あ

もしかして さっきのは……
…ラビ様 お戻りを
…ッ！ そうだ 戻れ！
うら若き娘たちを貪《むさぼ》り喰う怪物が!!
この 光の王国に お前は必要ねぇ!!
永遠に 一人でいろよ!
そうだ そうだw
気持ち悪い…
そうよ あんたなんて 一生 閉じ込められて なさいよ…っ!
さぁ 消えろ!
やっ
やめて…!
そんなっ
消えろ 醜い怪物!!

バサッ
はぁ
…くだらない
コツ
コツ
フイッ
あっ
コツ
ステラ・クインウィッチ
なぜあなたがここに？

あれ…
あの通路が…ない……?
本当にこちらからバルコニーへ?
はいっ
サファイア色の蝶々を追って 気づいたらあの場所にいたんです…っ!
なんで?
たしかにここから入っていったのに…!
……あなたたちは彼女がどこに消えたのか見てなかったと…?
びくっ
あ…っ
あ…
は…はいっ でででも…っ
とっ扉が開いたらわかりますし… 嘘ではないかと…

ザワ
ザワ
あの子…
……とりあえず
こちらの別室に
ピュセル・パプリチオ
伯爵家子女
……あなたたちも
ジゼル・ブランネージュ
男爵家子女
あの…
着替え…
手伝ってくださりありがとうございます
ジゼルさん

いっ いえいえ!!
おっお着替え用意されててよかったです〜
ドレスの汚れもとっていただいて…
いろいろとご迷惑をおかけしてすみません
助かりました!!
わっ私は何も…っ
あうあう
あなたが逃亡したから騎士団が来たのよ
男だけで追うとあなたが怯えてより逃げるだろうからって
同じ女である私たちが連れてこられたの
人に構ってる余裕なんてないのに
こんなことに巻き込んで…
あの怪物にも会ってしまったじゃない…
コン コン
失礼します
ラビ様は
吸血鬼だ

パタン…
ぐっ
……あの…
……
さっきの…吸血鬼って…
……
この国の伝承をご存知でしょうか?
えっ? えと…
…絵本などで伝えられるヴァレンティン王国の…ですか?
そうです…
昔々――

約800年前のお話――
ヴァレンティンの大地に
悪魔が舞い降りてきました
悪魔は国中に呪いをかけ
一筋の希望もない日々が
長きに渡り続きました
そこで
国と国民を憂《うれ》えた心優しいドール王は魔女に願いました
「私の命と引き換えにこの国に光を……!」
王の願いによって呪いは解け
人々の心には光が戻ったのです

それ以来この国は光の王国と呼ばれるようになりました――
…この話にはじつは続きがあります
安寧を取り戻したあと
吉事は続きドール王の妃《きさき》が子を産みました
ところが
その子は人ならざる怪物として生まれ堕《お》ちた……
……そう
それが彼
ラビ・ヴァン＝ヴァレンティン

悪魔の報復によるものなのか…
理由は不明ですが
正真正銘彼は吸血鬼
吸血衝動が暴走するのを抑えるために100年に一度
秘密裏に生娘の生き血を彼に捧げる必要があるのです
そこで利用されるのがあなたたち…
まっ待ちなさいよ
呪い…？魔女…？
じゃあ本当に魔法なんかが存在すると？
ただのお伽話
すべて真実です

現に噂《うわさ》話だと言われていた〝呪われた怪物〟は実在し
あなた方生贄の血を求める…
吸血衝動…
そっ…
…血を求める……
じゃあ…
あれはやっぱり私の血を……
でもなぜあんなに苦しそうだったのかしら…？
なんだか拒絶してるみたいな…
…あなたまさか吸血されたのか…？

おそらく…
傷跡はないのですが
ス…
まさか吸血鬼が存在するだなんて…！
あ、でもなんともないですよ!!
何も問題はないですっ!!
……ありえない
過去に生贄の娘が生き残った記録はない…！
それが〝呪われた怪物〟の花嫁の宿命
吸血されれば最期《さいご》
生贄は皆死ぬ

あんた
なぜ
血を吸われても
なんともない？
え…えと…
私
運がよかった
のですね…！
元気と健康が
取り柄なので
きっとそれで
かも…！
ほらっ
世の中
絶対はない…
ありがたいことに
本当に健康体でっ
カビたパン
食べても全然
へっちゃらで
…おかしいわ
えっ
だって
そうよ…
先に行った
二人も帰って
こなかった…
帰って
こなかった
のよ…！
吸血されても
死なない
……
あなたは

いったい
なんなんだ？

Ton étoile filante cachante les fleurs

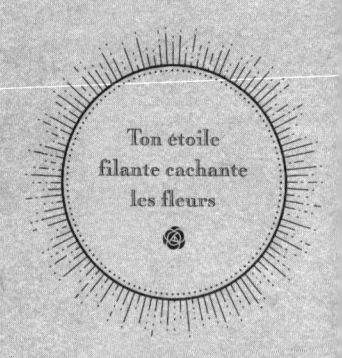

Episode.4
水のいらない花
吸血されても死なない……
あなたはいったいなんなんだ？
——え？
どういうことで——
…とにかくあなたのことは上に報告します
その間——

この部屋から出ることを禁じます
――と言われて軟禁状態…
なんだかより大変な状況になっちゃったわ……
あの蝶々を追ってたらいつのまにかバルコニーで…
そこにあの方がいて…
吸血されれば最期 生贄は皆死ぬ
それなのに私が死なないのはなぜかしら…
でも…

生きる希望はあるということね……!!
ぱあっ
むむっ!!
先代の花嫁様方のことを考えるとうかつに喜んではだめね…
だけど今いる皆さんの希望にはなるはず…!
ぐっ
ぎゅるるる
……
あはは…
皆さんお食事とられたのかしら…?
ガチャ…
少し質問するだけならいいわよね
あの～すみませんっ

ザワ…
……？
…あっ
ジゼルさん…！
お着替えですねっ
ビクッ
パサッ
だっ 大丈夫ですかっ!?
驚かせてしまってすみません〜っ
すっすみませ…っ
あっ お洋服が…
よいしょっ

はい
どう…
バシャッ
……あなたは
部屋から出ては
いけないことを
お忘れ？
こちらに
来ないで
ピュセル様
…ッ

…そうよっ
あの怪物のもとから生きて帰ってくるなんて…！
こちらに来ないでよ…
なぜ生きてるの？
気味…
…！気持ち悪い
あっ あぁ あの…
…呑気《のんき》に話しかけてきて
自分がどう見られているかわかってないのかしら
アイツと同じで
あなたも怪物なのではなくて？

…そうよね
…緊張状態が続いてるんだもの……
死ぬはずの生贄が戻ってきた希望よりも
未知への恐怖や戸惑いが勝ってしまうのも当然……
……あ

――あの方は
永い年月
あんな扱いを
受けてきたの？
私とは
比べ物に
ならないほどの
胸をえぐられる
言葉を
投げられて…
去れ
消えろ
孤独な
醜い怪物め!!
…でも
本当に怪物
なのかしら…
――あの時
まるで何かに
抗《あらが》っている
みたいだった…
いつも
あんなふうに
苦しんでるの？

……ずっと一人で…？

ドゴッ
ガタッ
ガシャーン
ダン
パリーンッ
!?
ゴッ
キャーッ
いやぁっ
いったい何？
キャアアアー
うあ
上であの怪物が暴れてるのよ…っ!!
いやーッ
やめてッ
まさか…

この部屋から出ることを禁じます

はっ
はっ
…あの夜
この部屋に
入っていった…
はぁっ……
たぶん…
ここよね…?
はっ
また
勢いで動いて
しまった!!
これ以上
問題を起こす
わけには…!!
ムギュ
ムギュ
Step 1
窓から下りる
(1階)
Step 2
屋敷の中を
ひっそり…
ひっそり…
(1階→3階へ…
そろ〜…
ま、
確認してすぐ
戻れば
問題ないわよ!
ガタッ

ダンッ
ドン
……あっ
ガシャッ
また音が…っ
ギャッ
ぐっ
〜〜ッ
バッ
失礼しま…

〜〜ッ
ばっ

……来るな……
腕…っ
布…服で止血を…っ
これ…自分で…!?
あんたなんで…
あ
紅玉の瞳――

もしかして吸血衝動…？
はぁ…
……またあんたか
ここまで来るとは…ッ 物好きな娘だ
……っ その腕……
大丈夫ですか？
………ただの莫迦《ばか》か…

……俺が
何かわかってないのか

ズズ ズ…
スゥ
きっと この人は あの夜も
吸血鬼とか 呪いとか
難しいことは よくわかりません
でも…… 私には あなたは……
そして今も――

自分と戦ってる人に見えます！
あんた……

先に自分のことを心配したほうがいい
!!
…この世に奇跡など存在しない
だから次にこの細い身体《からだ》に噛みつけば……
ギッ…

……死ぬよ
それなのに悠長に「戦ってる」なんてほざいて…
～ッ
あんたに何がわかるんだよ
…あ……っ
あなたのこと何も知らないのに失礼なことかもしれません
でも…っさっきの吸血衝動を抑えるために自分で刺したんですよね…？
だから私……っ

あなたは自分を傷つけてまで戦っているのに…
心ない言葉を投げられて畏怖《いふ》の対象に……
そんなの悲しくて寂しいです…
そんなあなたのことを…皆さんに話せば理解してくれるかも
悲しい…寂しい…ね
……助けてくれるのか…

わ…私にできることがあるなら――
でも残念
そんな感情 俺には存在しない
ぐいッ
いっ
勝手に憐れみ 勝手に理解したつもりになって俺を救済すると？
そんなもの求めてない
慈善活動は気持ちいいか？ お嬢サマ
え…っ
さぞ甘く生ぬるい世界で生きてきたんだろうな
コッ
コッ

出ていけ
独りよがりの偽善者

バタン
――え
い…今
いったい
なんと…!?

……きっとこれなら殺せるわ…
——あの吸血鬼を

Episode.5
夜空の先駆者
自分と戦ってる人に見えます！
ギリッ

何も考えるな………
………何も

ピチチ…
チュン
チュン
せっかくのご飯……
いただかなきゃ……
……あ

アップルパン…
……あの日もリリネットと食べたわね…
つい最近のことなのにもう遠い昔のよう
みんな元気かしら
私のことで苦しんでないといいけど……
「私は元気よ」「生きてるよ」って伝えたい
また笑い合いながらお話したい……
でも……
今の私じゃ胸を張って会えない…

今とても
自分が情けないから——…
独りよがりの偽善者
——そうあの方の言うとおり
私の行動は

ただの身勝手
余計なお世話
勝手に他者の気持ちを推し量《はか》る
エゴの押しつけ
そんなもの求めてない
求められてもいないのに中途半端に踏み込むだなんて…
そうね…独りよがりの偽善よ……
私の言葉は

私には計り知れない領域を
彼の触れてはいけない部分を
きっと刺してしまった
彼のこと…
何も知らないのに
そう…
…何も知らない…
こ…っ
殺す…？

あの吸血鬼をですか…!?
しっ
だからさっき言ったとおりよ！
殺すのは手段で
目的は！ここから逃げること…！
ここだけ開いてるの
窓が…
夜中ほかの花嫁たちが寝入ったあと
ここからそこの中庭へ抜け出すのよ
騎士は常駐してないし
新しい見張りの衛兵たちも突っ立ってるだけ
なぁ、怪物って男も喰うの？
怖いこと言うなよー…
難しくないわ
でっでもなぜ…今さら…？

あなたも あの怪物を 見たでしょう…？
私たちはッ アレに 殺されるのよ …!?
あの時の 内臓から ひりつく 感覚……
あれは〝死〟だった
あなたも死を 実感してしまった でしょう…！
……ッ
ヒュッ
でも逃亡は 家にも領民にも 罰が…っ
どうでも いいわ

私は妾《めかけ》の子 だから元から 用なしの
生贄の話が きた時も……
国からの資金援助 目当てに喜んで 私を差し出した
大切に してくれたのは 乳母《うば》だけよ
その乳母も もう去って しまったけど…
あなたの家も 傲慢経営で 嫌われてる わよね
王国も 生贄を上手《じょうず》に 選ぶわ
二人一緒なら なんとかなる…
ぐっ
逃げる 上で 一番心配なのが あの怪物に 見つかること…
でも これがきっと 助けになるわ

…さっ先ほどの殺すって…
あの怪物は不死だと
隠し持ってきたの
昔乳母がお守りでくれた物よ
この世のどんな恐ろしい生き物も葬り去る
昔からのお守り… きっとお嬢様を護《まも》ってくれる
これは———…
〝魔法の死の蜜〟
魔法… 死の蜜…
ズッ
もしアレに見つかったら
この蜜を簪《かんざし》につけて刺すの
魔法だなんて信じてなかったけど……
本当に存在するというのなら———…

あの不死の吸血鬼でもきっと
殺せるわ——!

むしろ死んでくれたほうが好都合でしょう
悲しむ者なんて誰もいない
あんな化け物

〝魔法の死の蜜〞
――殺せるわ
殺すってそんな…
大丈夫かしら…
さすがにあの方に伝えたほうが……
はっ
また私は余計なことを〜〜〜っ
ぐぬぅ
うぅッ
そんなもの求めてないって言われたのに…っ

…必要とされていないのなら すぐに身を引くの…
いきすぎたお節介はエゴの押しつけ
そうよね…
…母様……
カシャ…

ぶわっ
わっ
風が…

放っておいてくれ!!
クインウィッチ家のじつの子ではないから領民に媚《こび》を売ってるのか!?
何もわからない子どものくせに
情けをかけるなど自分勝手だ!
ご
ごめんなさい違うの……!
待って
あ……

ステラ
……かあさま
えと
あのね…
あの人ね… 泣いちゃいそうな 顔してたから…
大丈夫ですか？ 何かしますか？ って聞いたの……
…そう だったのね
ス…
……あの方 奥さんを亡くした ばかりだから
きっと そっとしておいて ほしいのかも
だから そんな悲しそうな お顔しないで
…わたしは へいきよ
でも……

じぶんかって しちゃって
ごめんなさい って…
今は それが かなしいの
……ねぇ ステラ
きっと どんな人でも 頼まれても いないのに誰かを 助けようとする 行為は
エゴというか… ある意味で 〝自分勝手〟な ことだと思うの
でもね
それで 救われる人も たくさんいるわ

〝見返りを期待しない〟〝必要ないって言われたらやめる〟
それを心に留めて行動すればいいのよ
誰かを想える優しい子
誇らしいわ
chu
！
えへへ
かあさまもとうさまも
みーんながステラにやさしくしてくれるから
同じことしてるだけよ
……あ
？
何？
えっとね…
もし…もしよ…？

助けるのいらないよっていわれて
でもでもかんがえちゃって
どうしてもっ
どーしてもっ
ほっとけないよってときは…!?
ふふっ
…そうね
その時は
もう一度だけ
踏み込んでみたら？
本当に諦めの悪い子
でも
それがあなた――…

ステラ
あなたは
真っ先に
闇夜を照らす
まばゆき
流れ星《メテオール》――…

ヒュオオォ…

バサッ
フッ

……はっ
くだらない…
やっぱりやめたほうが…っ
今さら無理！

とにかく出口を――
!?
…あんたたち
その手に持っている物はいったいなんだ？

こっ
来ないで…！
私たちを
連れ戻しに
来たの!?
ばっ
いや？
ご自由に
だがそれはおそらく
あんたたちの手には
余るものだろ
まぁ
あんたたちが
どうなろうが
興味なんか
ないけど…
はぁ…っ？
ガタ
ガタ
死ぬぞ？
!!

し…
死ぬぞ…?
ご丁寧に…忠告…?
ピュセルさま
おおおおっ
落ち着いて…っ
ふざけないでよ…
こんな地獄に引きずり込んで…
それは
お前が言う台詞じゃないでしょう…っ
お前が…
お前が…
お前が!!

私たちを殺すくせに!!
～～ッ
消えろ化け物!!
そう――

何かが
私の心を
揺らすの
誰も
気づかないような
か細い音…
悲しい音が
かすかに響くの
――…

だから
もう一度だけ
消えろ…!!
踏み込ませて
夜空を走る
流れ星のように
ラビ様!!

ドッ

Episode.6
傷とキズ

ドサッ
あんた……
はあっ…

よかった…っ
…は？
血…
ギゅっ
今のところ出てない…です
血が…流れてしまったら
きっとまた苦しめてしまうでしょう？
ピュセルさんを止めようとしたんですけど
ちょっと刺さっちゃいました…！
わーっ こわかったですーっ
幸い血も出ないくらい傷は浅いみたいですし
少し痺《しび》れているくらいで……
莫迦か？

また勝手な真似《まね》を!!
そんなもの求めてないと言っただろ!!
俺を助けていったい何になる!
ばッ
自分勝手な!ただの迷惑だ!!
きっとそんなの綺麗ごと
何もしなければ何も起こらない
……たしかにあなたは何も求めてない…
だから何もしないことが最善なのかもしれません
でも――…

苦しいような
哀《かな》しいような
傷ついた心を抑え込んでなかったことにしてるような…
そんな目をなさっているのに…
放っておけませんよ

もう傷つかないで
そう思ったら動いてました
また余計なお節介をしましたね
~~ッ くだらない!!
けほっ
何も考えずに飛び込んで
今度は聖女気取りか!
莫迦だ!!

ふふっ
私 よくも悪くも 諦めが 悪いんです
聖女ではありませんが…
私に特別何かできるなんて思ってない
あんたもすべて
諦めろ
でも諦めて傷つき続けるなんて
そんなの悲しいわ
だから あなたに 踏み込むこと
諦めたく なかったんです
………
綺麗ごとだ…
俺のこと何も知らないくせによく言う…
では 教えてください

ラビ様のこと
もっと
知りたいです
教えてほしいです
だから…
あらためまして
私の名前は
ステラ
ステラ・
クインウィ…
ズキッ

ドクッッ
うっ
!!
ドサッ
おい…！
まさかあれが…
今になって効いてきたのか…!?
〜〜ッ
ドクンッ
ビクッ

…違う！俺はなぜこいつの心配を…！
俺には何も関係ない!!
うそ…いや…嫌よ…そんなつもりは…ッ
ス…ステラ様…ッ
おい！
またあなたたちか！
今度は何を…
!!

ステラ・クインウィッチ!!
吸血か…!?
……!?
いや違う
なんだこれは…
赤黒い血の塊…いや……
結晶?
私が…っ私がっ…!!
でもその子を傷つけるつもりはなかったの…ッ

しゃあ
オスカー団長
ステラ嬢の息が…
患部を確認します
……待て
患部には触れるな
すぐに部屋に運べ…！

あらあら
まぁまぁ
怪物の花嫁として召集されたから
どんな恐ろしい怪物がいるかと思ったら
ただのかわいい坊やじゃない
お姉さんたち
僕が怖くない
…？
ドクン…
ドクン…
ふふ
かわいい
一緒に
お茶でも
飲みましょう

お姉さん…
みんな
どうしちゃった
の…？
ねぇ…っ
……よ
……ッ
あっ！
ふっ
これは
呪いよ…

あ…なた
呪われてる…
禍々《まがまが》しい
ほどに…
ガク
ガク
人の形をした
憐れな怪物…
呪われた…怪物
ずっと
ずっと…
呪われて
生きていくのね…
誰からも
愛されず
独り…ぼっち
……で………

ずっと独りぼっちは嫌だ！
ドンッ
嫌だよッ
ガタ
ガタッ
お願い…！ここから出してっ
お願…

……やだ……
ここは
くるしい……
ひとりで……
ひとりは……
やだ……
呪われた
怪物！

恐ろしい
人の血肉を糧《かて》とする化け物
気持ち悪い
こっちに来ないで!!
なんと醜い
この光の王国《ヴァレンティン王国》唯一の汚点だ
ああ　そうか
すべて諦めればいい

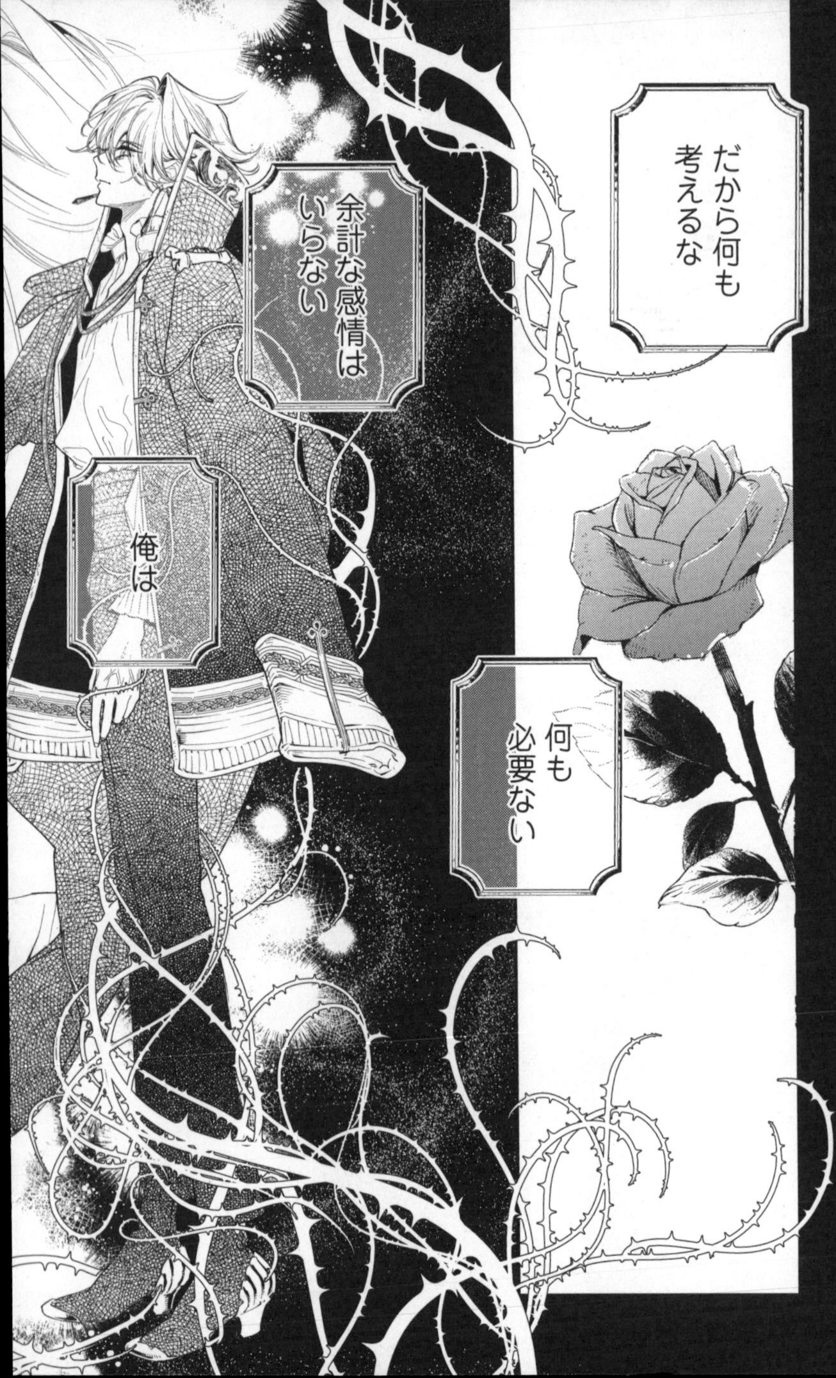
だから何も考えるな
何も必要ない
余計な感情はいらない
俺は

この永遠の常闇《とこやみ》で生きていくしかないのだから
傷つかないで

放って
おけませんよ
ラビ様のこと
もっと
知りたいです
私の名前は
ステラ
俺は
この世界しか
知らない
……
わからない
意味が
わからない
だから
考えることをやめて
屍のように
生きてきた
わかりたくも…
ない…っ
今さら
何か変わるはずが
ないのだから
——

――――ステラ嬢の容体《ようだい》は？
……医師も判断できない症例とのことです
刺されて失血しなかったのはこの結晶のおかげですが…
苦しんでいるのも結晶が原因…
……
ピュセル嬢も〝魔法の死の蜜〟としかわからないと
死の…蜜…
結晶…結晶……

バックスノードロップの花…？
……何か ご存知で…？
あっ…
読書が好きで その…中で… 読んだことが…
えっと…
でも 合ってるか
続けて
この世で唯一 "魔法"が使えると される伝説の存在…
…魔女
バックスノードロップの花は
その魔女だけが 咲かせられる 魔法の花…

それは
どんな生き物も
死へ誘《いざな》うとされ
その蜜を体内に
一滴でも
取り込めば
花の魔力が
広がるのに伴《ともな》って
身体は〝結晶化〟…
最後には
その身体は
砕け散り
花の種と
なる…
…たしかに
その花の蜜の
可能性が高いか
……
できる
処置は？
すみません…っ
そこまでは…
ですが
傷口から
花の魔力が
広がっていると
考えると…
このままでは

ステラ様は
死ぬことになってしまいます……ッ
第2巻につづく

青薔薇の花言葉

不可能

Afterword

この度は「花秘める君のメテオール」(花メテ)第１巻を
お手に取っていただきありがとうございます。
珠森ベティと申します。

さて、ラビとステラの物語が始まりました…！
花メテは「私が描きたい」という思いだけでなく
「私が見たい」という思いも込めて描いているお話になります。

ラビがここからどう変わって成長していくのか、
ステラがどう感じて何を学んでいくのか
私も楽しみです。
読者の皆様にわくわくドキドキを
お届けすることが第一なので
常にぴしっと気持ちを引き締めて
精進してまいります。

私が願うのはラビとステラの幸せです。
それを丁寧に描いていけたらと思いますので
どうか見守っていただけると幸いでございます。

ここまでお目通しいただき感謝いたします。
素敵な日々を。

Special Thanks

担当M様
グルナ編集部の皆さま・営業さま
フレックスコミックスの皆様
デザイナー様
アシスタントM様(5話〜)
家族のみんな

単話版をご購読くださった皆様
本をお手に取ってくださった貴方様

2024.10

next story

こんな感覚、
俺は知らない——

ステラのまっすぐな心に
ラビの気持ちが
ゆっくりと動き出す…

美しくも謎多き
騎士様(?)もあらわれ…
運命が複雑に
絡み合っていく——

花秘める君のメテオール ②

2024年11月15日(金)発売予定

FC エトワール

花秘める君のメテオール❶

2024年10月11日　初版第1刷発行
2025年 7 月18日　第3刷発行

著者◎珠森ベティ

© 2024 珠森ベティ

発行人◎淡野 正

印刷所◎TOPPANクロレ株式会社

制作◎ライブコミックス　グルナ編集部

担当◎萬木みのり

発行元◎株式会社BookLive
〒108-0023 東京都港区芝浦4丁目2番8号三田ファーストビル11F
TEL:03-6633-6288

発売元◎フレックスコミックス株式会社
〒108-0023 東京都港区芝浦4丁目2番8号三田ファーストビル11F
TEL:050-3786-1700

◎この物語はフィクションです。実在の人物・団体などには関係ありません。
◎造本には十分注意しておりますが、乱丁・落丁(本のページ順序の
間違いや抜け落ち)の場合はお取り替え致します。
その場合は、フレックスコミックス株式会社営業部までご連絡ください。
◎本書の無断複製、複写、転載を禁じます。

ISBN 978-4-86675-385-0

COMIC エトワール ETOILE

https://booklive.jp/original-comic